The Chord Songbook
Catatonia

G000065383

Wise Publications
London/New York/Paris/Sydney/Copenhagen/Madrid

Exclusive Distributors:
Music Sales Limited
8/9 Frith Street,
London W1V 5TZ, England.
Music Sales Pty Limited
120 Rothschild Avenue,
Rosebery, NSW 2018, Australia.

Order No. AM958463
ISBN 0-7119-7488-8
This book © Copyright 1999 by Wise Publications
www.internetmusicshop.com

Music arranged byRikky Rooksby
Music processed by The Pitts

Printed in the United Kingdom by
Caligraving Limited, Thetford, Norfolk.

Your Guarantee of Quality
As publishers, we strive to produce every book
to the highest commercial standards.
The music has been freshly engraved and this
book has been carefully designed to minimise awkward
page turns and to make playing from it a real pleasure.
Particular care has been given to specifying acid-free,
neutral-sized paper made from pulps which have not been
elemental chlorine bleached. This pulp is from farmed sustainable
forests and was produced with special regard for the environment.
Throughout, the printing and binding have been planned to
ensure a sturdy, attractive publication which should give years
of enjoyment. If your copy fails to meet our high standards,
please inform us and we will gladly replace it.

Music Sales' complete catalogue describes thousands
of titles and is available in full colour sections by subject,
direct from Music Sales Limited. Please state your areas of interest
and send a cheque/postal order for £1.50 for postage to:
Music Sales Limited, Newmarket Road,
Bury St. Edmunds, Suffolk IP33 3YB.

Relative Tuning

The guitar can be tuned with the aid of pitch pipes or dedicated electronic guitar tuners which are available through your local music dealer. If you do not have a tuning device, you can use relative tuning. Estimate the pitch of the 6th string as near as possible to E or at least a comfortable pitch (not too high, as you might break other strings in tuning up). Then, while checking the various positions on the diagram, place a finger from your left hand on the:

5th fret of the E or 6th string and **tune the open A** (or 5th string) to the note (A)

5th fret of the A or 5th string and **tune the open D** (or 4th string) to the note (D)

5th fret of the D or 4th string and **tune the open G** (or 3rd string) to the note (G)

4th fret of the G or 3rd string and **tune the open B** (or 2nd string) to the note (B)

5th fret of the B or 2nd string and **tune the open E** (or 1st string) to the note (E)

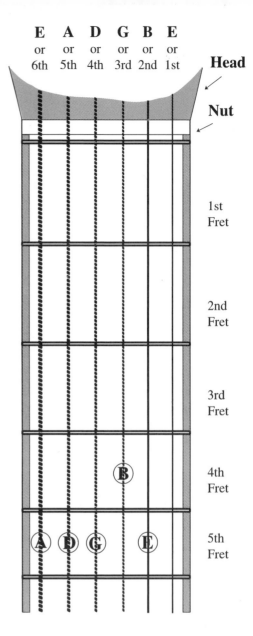

Reading Chord Boxes

Chord boxes are diagrams of the guitar neck viewed head upwards, face on as illustrated. The top horizontal line is the nut, unless a higher fret number is indicated, the others are the frets.

The vertical lines are the strings, starting from E (or 6th) on the left to E (or 1st) on the right.

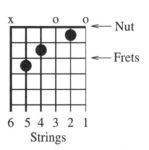

The black dots indicate where to place your fingers.

Strings marked with an O are played open, not fretted.

Strings marked with an X should not be played.

3

Bleed

Words & Music by Cerys Matthews & Mark Roberts

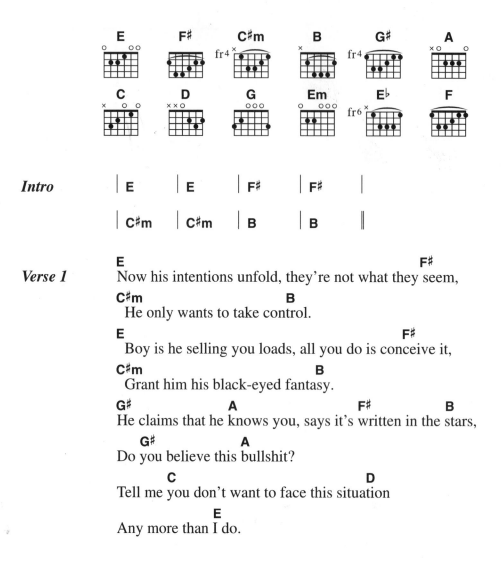

Intro

| E | E | F♯ | F♯ | |

| C♯m | C♯m | B | B ‖

Verse 1

   E   F♯
Now his intentions unfold, they're not what they seem,
C♯m   B
He only wants to take control.
E   F♯
  Boy is he selling you loads, all you do is conceive it,
C♯m   B
  Grant him his black-eyed fantasy.
G♯   A   F♯   B
He claims that he knows you, says it's written in the stars,
   G♯   A
Do you believe this bullshit?
           C   D
Tell me you don't want to face this situation
                 E
Any more than I do.

Verse 2

                                                              F#

Oh you think you're so great, keep it up at this rate,

C#m   **B**

You're bound to catch it if you wait.

E   **F#**

I've seen the symptoms before, they come as they please,

C#m   **B**

Here comes the low rent man again.

 G#   **A**   **F#**   **B**

He'll claim that he knows you, says it's written in the stars,

    G#   **A**

Will you believe this bullshit?

         C   **D**

Tell me you don't want to face this situation

Any more than (I do.)

Solo | **G** | **G** | **A** | **A** |

                   I do.

         | **Em** | **Em** | **D** | **D** ||

Verse 3

    G N.C.   **G**   **A**

So what does he have in store, does he need you to bleed?

Em   **D**

Inadequate in all he breathes.

B   **C**   **A**   **D**

He'll claim that he knows you, says it's written in the stars,

       B   **C**

Will you believe this bullshit?

    Eb   **F**

If you don't want to face this situation

                  G

Any more, then I don't.

Bulimic Beats

Words & Music by Cerys Matthews, Mark Roberts,
Aled Richards, Paul Jones & Owen Powell

Em   G   F#   Bm   B♭   A   E   F#m

Intro | Em | Em | Em | Em ||

Harp arr. for gtr.

Verse 1

Em
    I thought we'd escape,

    I packed a fishing line and counted on it.

    I thought we'd escape,

    I packed a fishing line and counted on it.

Chorus 1

G   Em
    But dreaming is for moonrise

G   Em   F#
    And moonlight ails these tired eyes___

            Bm
    I treat him like a lady,

               F#
    I treat him as I would he unto me,

               Bm
    Give Rose rose-seller a run for her money

            B♭
    With silicone and poetry,

        A
    But it's the end of me.

Verse 2

Em
I thought it could change,

I'd wake up one morning and find nothing to rearrange.

A   **Em**
I couldn't get there behind his wall of Sunday papers

I thought it could change,

I'd wake up one morning and find nothing to rearrange.

Chorus

G   **Em**
But dreaming is for moonrise

G   **Em**   **F♯**
And moonlight ails these tired eyes___

                      Bm
I treat him like a lady,

                         F♯
I treat him as I would he unto me,

                         Bm
Give Rose rose-seller a run for her money

                   B♭
With silicone and poetry,

              A
And it's the end of me.

Instrumental
Bridge

Bm		E		G	F♯	E	F♯	Bm		
E		G	F♯m	Em	F♯	A		A		
Em		Em		Em		Em		

Coda

Em
Here I am, here I am,

And here I stand

Here in my kitchen where I'm familiar with every brand.

Here I am,

A front line with labels where I witness custard's last stand.

Here I am.

Dazed, Beautiful And Bruised

Words & Music by Cerys Matthews, Mark Roberts,
Aled Richards, Paul Jones & Owen Powell

Gm   B♭   Dm   C   F   Am   B♭m   B♭7

Intro | Gm | B♭ | Dm | B♭ C ‖

Verse 1

       F   **Am**
I've got my work cut out with you,
Gm   **B♭m**
You tore bits out of me.
       F   **Am**
Your carpet burns and bruises blue
Gm   **B♭m**
Are there for all to see.
       F
But I can tell you've been through hell,
Dm
Finally you wear it well,
   Gm   **B♭**
It's an accessory.
       F   **Am**
It's time to change your uniform
   Gm   **B♭ C**
And hand it on to me, to me.

Chorus 1

       F   **Dm**
And I dream one day I'll find
      B♭7   **C**
The one who lives inside my mind,
              F
They feel the same way too,
      Dm
We've all been used,
B♭7   **C**   **F**   **Dm**
Dazed, beautiful and bruised,
B♭7   **C**   **F**
Dazed, beautiful and bruised.

Link | Gm | B♭ | Dm | B♭ C ‖

Verse 2

    F   Am
And blame is not a one-way street,

      Gm   B♭m
The widest avenue,

    F
But cause me grief

      Am   Gm   B♭m
And my belief is harm will come to you.

     F
Between the lines I think you'll find

Dm
Lessons learned from alleys blind,

Gm   B♭
Beauty can turn sour.

    F   Am
So recognise through all the lies

    Gm   B♭   C
The hero of the hour, the hour.

Chorus 2

    F   Dm
And I dream one day I find

      B♭7   C
The one who lives inside my mind,

            F
They feel the same way too,

      Dm
We've all been used,

B♭   C
Dazed, beautiful and bruised,

      Gm   Dm   C
When there's nothing, nothing left to lose,

B♭7 C   F   Dm
Dazed, beautiful and bruised,

B♭7 C   F
Dazed, beautiful and bruised,

Coda

B♭7 C   F
Dazed, beautiful and bruised,

B♭ C F
Da - zed, dazed.

Dead From The Waist Down

Words & Music by Cerys Matthews, Mark Roberts,
Aled Richards, Paul Jones & Owen Powell

Amaj7   A   C#m   Bm   D   A7   Dm   F#m

Intro | Amaj7 | Amaj7 | Amaj7 | Amaj7 ||

Verse 1
           A
The sun is shining
           C#m
We should be making hay
               Bm
But we're dead from the waist down
D   **A**
Like in Californ-i-a.

Victory is empty,
           C#m
There are lessons in defeat
           Bm
But we're dead from the waist down,
D   **Amaj7**
We are sleeping on our feet.

     A7   **Dm**
Pre-chorus 1 We stole the songs from birds in trees
           F#m
Bought us time on easy street,
           Bm
Now our paths they never meet.
           Dm   **F#m**
We chose to court and flatter greed, ego disposability,
           Bm   **E**
I caught a glimpse, and it's not me.

Chorus

              Bm
Make hay not war,

 D   **Amaj⁷**
Make hay not war,

F♯m   **Bm**
Make hay not war,

             D
Or else we're done for

               Amaj⁷
And we're D from the W down.

        A

Verse 2   There's no contracts binding,

            C♯m
No bad scene beyond repair,

                 Bm
But when you're dead from the waist down

D   **Amaj⁷**
You're too far gone to even care.

   A⁷   **Dm**

Pre-chorus 2 We stole the songs from birds in trees

            F♯m
Bought us time on easy street

            Bm
Now our paths they never meet

                Dm   **F♯m**
We chose to court and flatter greed, ego disposability

              Bm   **E**
I caught a glimpse, and it's not me.

Chorus 2
> **Bm**
> Make hay not war,
>
> **D**   **Amaj7**
> Make hay not war,
>
> **F#m**   **Bm**
> Make hay not war,
>
>   **D**
> Or else we're done for
>
>   **Amaj7**   **A7**
> And we're D from the W down.

Chorus 3
> **Bm**
> Make hay not war,
>
> **D**   **Amaj7**
> Make hay not war,
>
> **F#m**   **Bm**
> Make hay not war,
>
>   **D**
> Or else we're done for
>
>   **Amaj7**
> And we're D from the W down.

Coda
> And we're D from the W down. (four times)

> The sun is shining.

> The sun is shining.

Don't Need The Sunshine

Words & Music by Cerys Matthews, Mark Roberts,
Aled Richards, Paul Jones & Owen Powell

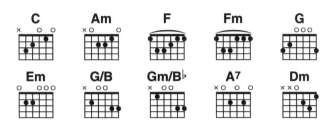

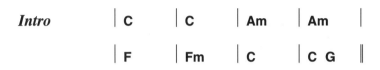

Intro

```
| C    | C    | Am   | Am   |

| F    | Fm   | C    | C  G ‖
```

Verse 1

        C   Am
Well it's a most peculiar feeling, like sunburn in the evening

   F   Fm   C   G
With dark clouds on their way,

         C   Am
And you think it's most unlikely life could ever shine as brightly

        F   Em
Once the sun has gone and the pressure's on.

        G
And the rain is here again.

Chorus

        C
But you don't need the sunshine,

    G/B
You don't need the good times,

Gm/B♭   A⁷
Don't need anything anyone's giving (anyone's giving)

    Dm   F   G
And I don't mind your lies so keep on talking.

         C   **Am**
But do you find the change in the seasons affects you without reason?
       F   **Fm**   **C**   **G**
You've greetings but nothing more to say
       C   **Am**
And you swear you'd feel much better if only summer'd last forever
       F   **Em**
But the sky is clear and you're nowhere near
       G
And the rain is here again.

            C
But you don't need the sunshine (I don't mind the rain),
      G/B
You don't need the good times (you could feel the same),
B♭   **F**
Lean on me maybe you could see it through
          G
If you would only believe a single word is true.

       C
You don't need the sunshine,
G/B
Don't need the good times,
Gm/B♭   **A⁷**
Don't need anything anyone's giving (anyone's giving)
      Dm   **F**   **G**
And I don't mind your lies so keep on talking.

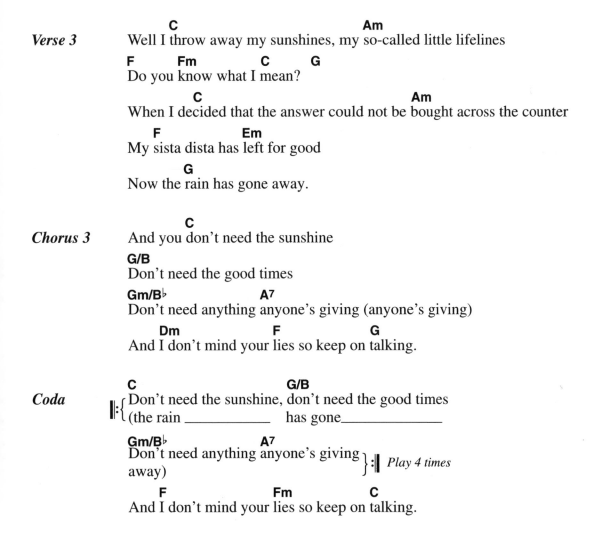

Verse 3

          C   **Am**
Well I throw away my sunshines, my so-called little lifelines

F   **Fm**   **C**   **G**
Do you know what I mean?

          C   **Am**
When I decided that the answer could not be bought across the counter

   F   **Em**
My sista dista has left for good

       G
Now the rain has gone away.

Chorus 3

          C
And you don't need the sunshine

G/B
Don't need the good times

Gm/B$\flat$ **A7**
Don't need anything anyone's giving (anyone's giving)

     Dm   **F**   **G**
And I don't mind your lies so keep on talking.

Coda

C   **G/B**
‖:{ Don't need the sunshine, don't need the good times
   (the rain _____ has gone_____

Gm/B$\flat$ **A7**
Don't need anything anyone's giving } :‖ *Play 4 times*
away)

    F   **Fm**   **C**
And I don't mind your lies so keep on talking.

Game On

Words & Music by Cerys Matthews, Mark Roberts,
Aled Richards, Paul Jones & Owen Powell

D6 **G** **Bm** **Em** **F#** **D**

Intro | D6 | D6 | D6 | D6 ||

Verse 1
D6   **G Bm**
  You know the time to act is now, do-oo-do,
D6   **G Bm**
  Before the sands of time run out, do-oo-do.
Em
  I know that I could never
F#
  Fall from grace, I'm far too clever.

Verse 2
D6   **G Bm**
  I will achieve my destiny, do-oo-do,
D6   **G Bm**
  My stars assent a certainty, do-oo-do.
Em
  I know that I could never
F#
  Fall from grace, I'm far too clever.

Pre-chorus 1
G   **D**
Do-do, na-ah, na-ah, na-ah-ah,
         G
Na-ah, na-ah, na-ah-ah,
         D
Na-ah, na-ah, na-ah-ah.

Na-ah, na-ah, (na-ah.)

Chorus

    G   D
Boy sees, boy takes, boy hooked
    G   D
And the subject's closed.
    G   D   Em
Worst case scenario becomes real,
    F♯
It don't show.

Verse 3

    D6   G   Bm
No clever clevers can dissuade, do-oo-do.
    D6   G   Bm
From tougher substance I was made, do-oo-do,
    Em
I know that I could never
    F♯
Fall from grace, I'm far too clever.

Pre-chorus 2

    G   D
Do-do, na-ah, na-ah, na-ah-ah,
               G
Na-ah, na-ah, na-ah-ah,
               D
Na-ah, na-ah, na-ah-ah.

Na-ah, na-ah, (na-ah.)

Chorus 2

    G   D
Boy sees, boy takes, boy hooked
    G   D
And the subject's closed.
    G   D   Em
Worst case scenario becomes real,
    F♯
It don't show.

Coda

    D6   G   Bm
You know the time to act is now, do-oo-do.

I Am The Mob

Words & Music by Cerys Matthews, Mark Roberts,
Aled Richards, Paul Jones & Owen Powell

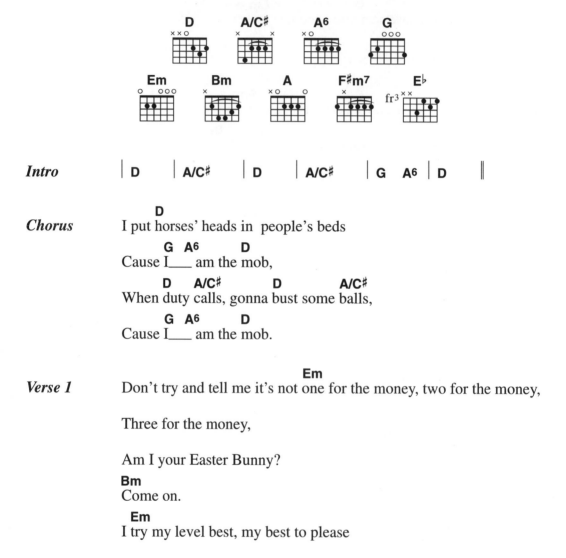

Intro | D | A/C♯ | D | A/C♯ | G A6 | D   ‖

Chorus
       D
I put horses' heads in people's beds
    G A6   **D**
Cause I___ am the mob,
      D A/C♯   **D**   **A/C♯**
When duty calls, gonna bust some balls,
    G A6   **D**
Cause I___ am the mob.

Verse 1
                                        Em
Don't try and tell me it's not one for the money, two for the money,

Three for the money,

Am I your Easter Bunny?
Bm
Come on.
 Em
I try my level best, my best to please

But I'm gonna put a bullet between your knees
    Bm   **A**
Baby come on, oh just tell them.

	D A/C♯ D A/C♯
Chorus 2	Stop blowing the Don, put his keks back on

D   G A⁶   D
Cause I____ am the mob,

        D   A/C♯   D   A/C♯
Stop mucking around with a brand new sound

        G A⁶   D
Cause I____ am the mob.

Verse 2   As Verse 1

         D   F♯m⁷   G   Em

Bridge 1   That Luca Brasi, ah, he sleeps with the fishes,

D   F♯m⁷   G   Em
Luca Brasi, ah, he sleeps with the fishes,

D   F♯m⁷   G   Em
Luca Brasi, ah, he sleeps with the fishes,

G   E♭ D
Missus.

Solo | Em | Em | Bm | Bm | Em | Em | Bm   ‖

A
Ah, tell them… just tell them.

D   F♯m⁷   G   Em

Bridge 2   Luca Brasi, ah, he sleeps with the fishes,

D   F♯m⁷   G   Em
Luca Brasi, ah, he sleeps with the fishes,

D   F♯m⁷   G   Em
Luca Brasi, ah, he sleeps with the fishes,

G   E♭
Missus.

D   F♯m⁷   G   Em

Bridge 3   Luca Brasi, ah, he sleeps with the fishes,

D   F♯m⁷   G   Em
Luca Brasi, ah, he sleeps with the fishes,

D   F♯m⁷   G   Em
Luca Brasi, ah, he sleeps with the fishes,

G E♭   D
I____ am the mob.

International Velvet

Words & Music by Cerys Matthews, Mark Roberts,
Aled Richards, Paul Jones & Owen Powell

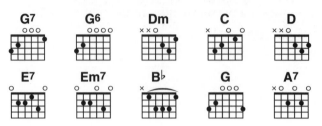

Intro   ‖: G⁷ | G⁷ | G⁷   :‖

| G⁷ G⁶ G⁷ G⁶ | G⁷ G⁶ G⁷ G⁶ | G⁷ G⁶ G⁷ G⁶ ‖

Verse 1

G⁷   Dm C
Deffrwch Cymry cysglyd gwlad y gân

G⁷
dwfn yw'r gwendid

             Dm C
bychan yw y fflam

G⁷
Creulon yw'r cyhaeaf

             Dm C
ond per yw'r dôn

      G⁷
'Da' alaw'r alarch unig

        Dm C
yn fy mron.

Chorus 1

D   E⁷   Em⁷
Every day, when I wake up

   B♭   G   D
I thank the Lord I'm Welsh.

       E⁷   Em⁷
Every day, when I wake up

   B♭   G   D
I thank the Lord I'm Welsh.

Link   ‖: G⁷ G⁶ G⁷ G⁶ | G⁷ G⁶ G⁷ G⁶ :‖

Verse 2

G7   Dm   C

Gwledd o fedd gynhyrfodd Cymraes swil

   G7   Dm   C

Darganfyddais gwir baradwys Rhyl.

Chorus 2

D   E7   Em7

Every day, when I wake up

  B♭   G   D

I thank the Lord I'm Welsh.

D   E7   Em7

Every day, when I wake up

  B♭   G

I thank the Lord I'm,

B♭   A7

Thank the Lord I'm,

B♭   G   D

Thank the Lord I'm Welsh.

Link 2   ‖: G7 G6 G7 G6 | G7 G6 G7 G6 :‖ *Play 4 times*

Verse 3

G7   Dm   C

Deffrwch Cymry cysglyd gwlad y gân

G7

dwfn yw'r gwendid

                    Dm   C

bychan yw y fflam.

Chorus 3   *As Chorus 1*

Chorus 4

D   E7   Em7

Every day, when I wake up

  B♭   G   D

I thank the Lord I'm Welsh.

      E7   Em7

Every day, when I wake up

  B♭   G

I thank the Lord I'm,

B♭   A7

Thank the Lord I'm,

B♭   G   D

Thank the Lord I'm Welsh.

Karaoke Queen

Words & Music by Cerys Matthews, Mark Roberts,
Aled Richards, Paul Jones & Owen Powell

A   E   G   D   A7   Bm   C   F

Intro

N.C.
Ooh sha la la la la la la,

(A)
Ooh sha la la la la la la.

Verse 1

A   **E**   **G**   **D**
Tedium is overcome from obscurity through melody
G   **D**   **A7**
And when I'm blind it helps me see through your key.
A   **E**   **G**   **D**
No-one can touch, no need to rush, presented by my alibi,
G   **D**   **A7**
And when I'm down it brings me round so easy.

Pre-chorus 1

Bm   **E**
At eight o'clock I'll take my leave
C   **E**
And when I'm done and dusted tonight I'm gonna be___

Chorus 1

A
I'll be a karaoke queen, it's not me you see,
D   **G E G E**
I'm gonna take you down to a place I know you'd rather be._____
A
It's just a three minute song, it doesn't last very long
D   **G E**
But it'll take you to a place I know you'd rather be____
G   **E**   **A**
Hey you can dance.

Link 1

A
Ooh sha la la la la la la,

Ooh sha la la la la la la.

Verse 2

	A		E	G		D

A   E   G   D
Common sense has excuses, recklessness its uses,

G   D   A⁷
But don't go fusing silence with charisma.

Pre-chorus 2

Bm   E
At nine o'clock you can count on me

C   E
But when I'm up I'm ready tonight I'm gonna be___

Chorus 2   *As Chorus 1*

Link 2

A
‖: Ooh sha la la la la la la,

Ooh sha la la la la la la. :‖

Bridge

A   E
I'm doomed to fail, the stage gives way,

G   D
It's an apostrophe to my legacy

G   D   E   A
But though I'm bruised I'll happily do it all again.

Pre-chorus 3

Bm   E
At ten o'clock don't wait up for me

C   E
'Cause when I'm up I'm ready tonight I'm gonna be___

Chorus 3   *As Chorus 1*

Chorus 4

A
And you can dance if you want to show appreciation

D   G E G E
But step up to the mic for the full sensation,_____

A
And you can dance_____

Coda

F   G A
And you can dance_____

‖: And you can

F   G   A
Ooh la la la, ooh sha la la la :‖ *Repeat ad lib. to fade*

23

Lost Cat

Words & Music by Cerys Matthews & Mark Roberts

Tune down a semitone

| Aadd9 | Dsus2 | F#m | D |
| A | Bm | Dm7 | B7 | E7 |

Intro | Aadd9 | Aadd9 | Aadd9 | Aadd9 ||

Verse 1

Aadd9   Dsus2   F#m
Lost cat in Arthur Street, black and white.

Aadd9   Dsus2   F#m
If you go, I'll come without a fight.

     D
I'm sick of hearing damning words of you

               A
Come cursing through my head,

     D
And I'm too proud to sit here, chasing time,

            Bm
Wasting things we shared,

    Dm7
Or thought we had.

Verse 2

Aadd⁹   **Dsus²**   **F♯m**
You said, I'm digging you a house.

Aadd⁹   **Dsus²**   **F♯m**
Truth is, you left a long time ago

      D
But you can turn it on and play the innocent,

          A
Though you've been caught.

      D
And I'm too proud to sit here

          Bm
Saying everything is how it was,

      Dm⁷
Never been this sure.

Chorus

      F♯m   **B⁷**
Take it from where you want to grow,

There's always tomorrow.

F♯m   **B⁷**
I'd rather have you smile than have you fall,

      E⁷
No matter where you go.

Verse 3

Aadd⁹   **Dsus²**   **F♯m**
Ten men in trial of love succeed

Aadd⁹   **Dsus²**   **F♯m**
All those in Arthur Street will walk free.

      D
And you can turn it on and play

          A
At anything you ever wanted to.

      D
'Cause you're not dull and I'm not strong enough

To carry on wondering

Bm   **Dm⁷**   **F♯m**
How we're gonna see this through.

Londinium

Words & Music by Cerys Matthews, Mark Roberts,
Aled Richards, Paul Jones & Owen Powell

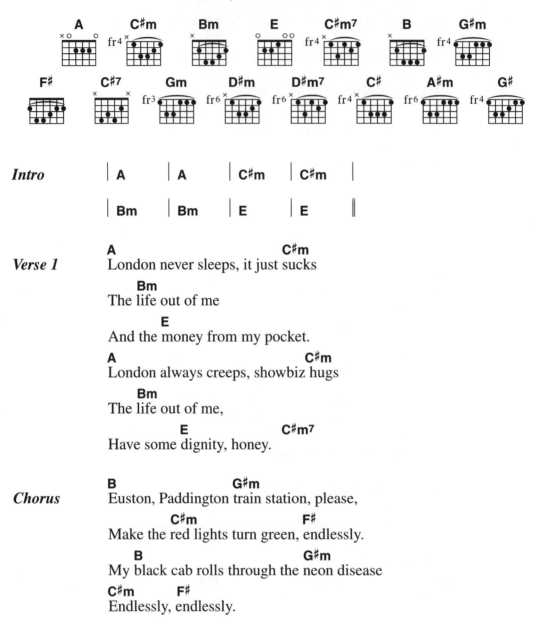

Intro | A | A | C#m | C#m |

| Bm | Bm | E | E   ‖

Verse 1

    A   C#m
London never sleeps, it just sucks

    Bm
The life out of me

        E
And the money from my pocket.

    A   C#m
London always creeps, showbiz hugs

    Bm
The life out of me,

        E   C#m7
Have some dignity, honey.

Chorus

    B   G#m
Euston, Paddington train station, please,

        C#m   F#
Make the red lights turn green, endlessly.

    B   G#m
My black cab rolls through the neon disease

C#m   F#
Endlessly, endlessly.

Verse 2

```
A                         C♯m
London never sleeps, it just sucks
    Bm
The life out of me,
            E
Show some dignity, honey.
A                         C♯m
Sushi bars, wet fish it just sucks
    Bm
The life out of me
            E                   C♯m7
And the money from my pocket, pocket.
```

Chorus 2

```
B                   G♯m
Euston, Paddington train station, please,
        C♯m                   F♯
Make the red lights turn green, endlessly.
        B                     G♯m
My black cab rolls through the neon disease
C♯m         F♯
Endlessly, endlessly.
```

Bridge

```
            A                 C♯7
I come alive outside the M25,
                    Gm
I won't drink the poison Thames,
                    F♯
I'll chase the sun out West.
```

Link

```
| B      | B      | D♯m    | D♯m    |

| C♯m    | C♯m    | F♯     | D♯m7  ‖
```

Solo

```
‖: C♯   | A♯m   | D♯m    | F♯           :‖
```
s'Londinium, Lon-Londinium

Chorus 3

      C#   A#m
Euston, Paddington train station, please
              D#m   G#
Make the red lights turn green, endlessly.
        C#   A#m
My black cab rolls through the neon disease
D#m   G#
Endlessly, endlessly.

Chorus 4

⎧ I come alive_____)
⎨   C#   A#m
⎩   Euston, Paddington train station, please

⎧ I come   alive_____)
⎨   D#m   G#
⎩ Make the red lights turn green, endlessly

⎧ I come   alive_____)
⎨   C#   A#m
⎩   My black cab rolls through the neon disease

⎧ I come alive_____)
⎨   D#m   G#
⎩   Endlessly, endlessly.

Coda

| C# | A#m | D#m | G# | C# | |

| A#m | D#m | G# | C# | ‖
                        Endlessly_____

Mulder And Scully

Words & Music by Cerys Matthews, Mark Roberts,
Aled Richards, Paul Jones & Owen Powell

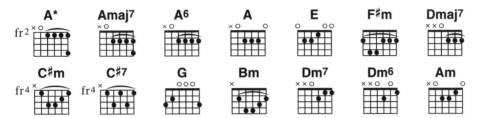

Intro | A* Amaj⁷ A⁶ ‖

Verse 1
A   E
I'd rather be liberated,   I find myself captivated,
F#m   E
Stop doing what you___ keep doing it too.
A   E
I'd rather stay bold and lonely, I dream I'm your one and only,
F#m   E
Stop doing what you___ keep doing it too.

Chorus 1
Dmaj⁷   F#m
Things are getting strange, I'm starting to worry,
C#m   C#7
This could be a case for Mulder and Scully.
Dmaj⁷   F#m   G   Bm
Things are getting strange, now I can't sleep alone.

Link | E | E A* Amaj⁷ A⁶ ‖

Verse 2

```
       A                              E
    I'd rather be jumping ship,   I find myself jumping straight in,
    F♯m                    E
    Stop doing what you___ keep doing it too.
       A                          E
    Forever be dozy and dim,   I wake myself thinking of him,
    F♯m                      E
    Stop doing what you___ keep doing it too.
```

Chorus 2

```
    Dmaj⁷                              F♯m
    Things are getting strange, I'm starting to worry
    C♯m                      C♯7
    This could be a case for Mulder and Scully.
    Dmaj⁷                          F♯m          C♯m  C♯7
    Things are getting strange, now I can't sleep alone   here.
```

Bridge

```
                     Dmaj⁷                        Dm7
    My bed is made for two and there's nothing I can do
                    Dm6    Am
    So tell me something I don't know
                     Dmaj⁷                    Dm7
    If my head is full of you is there nothing I can do?
                    Dm6    Am    E
    Must we all march in two by two by two?
```

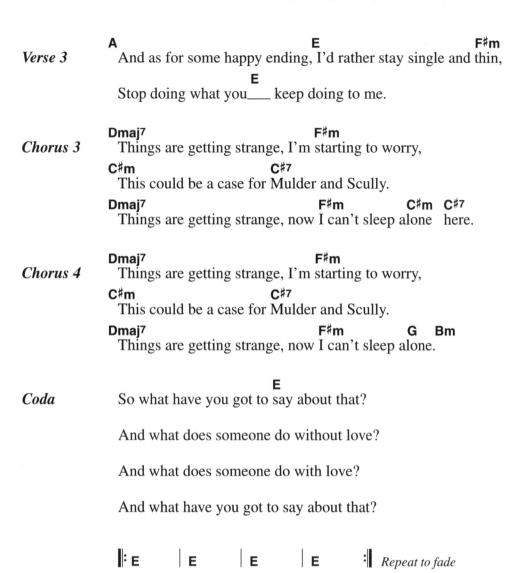

Verse 3

      A   **E**   **F♯m**
And as for some happy ending, I'd rather stay single and thin,

                    E
Stop doing what you___ keep doing to me.

Chorus 3

Dmaj7   **F♯m**
Things are getting strange, I'm starting to worry,

C♯m   **C♯7**
This could be a case for Mulder and Scully.

Dmaj7   **F♯m**   **C♯m** **C♯7**
Things are getting strange, now I can't sleep alone   here.

Chorus 4

Dmaj7   **F♯m**
Things are getting strange, I'm starting to worry,

C♯m   **C♯7**
This could be a case for Mulder and Scully.

Dmaj7   **F♯m**   **G** **Bm**
Things are getting strange, now I can't sleep alone.

Coda

                                   E
So what have you got to say about that?

And what does someone do without love?

And what does someone do with love?

And what have you got to say about that?

‖: E | E | E | E   :‖ *Repeat to fade*

Post Script

Words & Music by Cerys Matthews, Mark Roberts,
Aled Richards, Paul Jones & Owen Powell

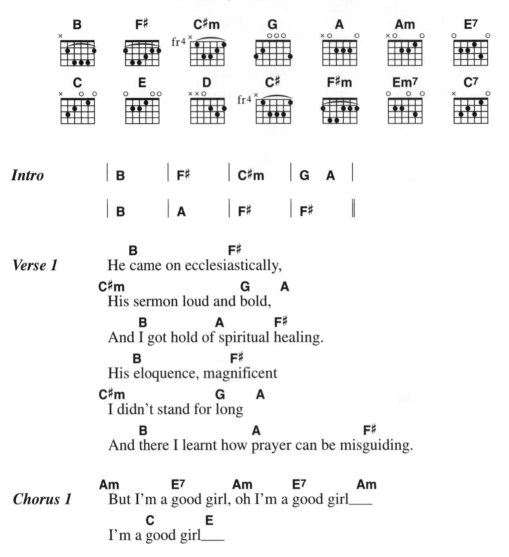

Intro | B | F# | C#m | G   A |
| B | A | F# | F#   ‖

Verse 1

> **B**   **F#**
> He came on ecclesiastically,
>
> **C#m**   **G**   **A**
> His sermon loud and bold,
>
> **B**   **A**   **F#**
> And I got hold of spiritual healing.
>
> **B**   **F#**
> His eloquence, magnificent
>
> **C#m**   **G**   **A**
> I didn't stand for long
>
> **B**   **A**   **F#**
> And there I learnt how prayer can be misguiding.

Chorus 1

> **Am**   **E7**   **Am**   **E7**   **Am**
> But I'm a good girl, oh I'm a good girl___
>
> **C**   **E**
> I'm a good girl___

Verse 2

```
       B            F♯
They recommended counselling
C♯m             G    A
But I don't need to talk,
   B        A          F♯
I don't get off on communal changing.
     B                F♯
I'm better bred, much better led,
C♯m             G    A
Leave my keys at home,
     B              A        F♯
But brace yourselves for industrial cleavage.
```

Chorus 2

```
Am            E7      Am      E7        Am
'Cause I'm a good girl, oh I'm a good girl___
        C        E
I'm a good girl___
```

Bridge

```
E    G    D     C♯  F♯m
If you live a lie you'll die a liar,
E    G    D     C♯  F♯m
If you live a lie you'll die a liar.
            A
Pants on fire!
```

Solo

```
| Em7 C7 | Em7 C7 | Em7 C7 | G       | D  Em | Am  G |

| Em7    | Em7    | D  Em | Am  C | F♯     | F♯    ‖
```

Verse 3

```
     B              F♯
Jean of Arc come kiss my art,
C♯m             G    A
Leave a charcoal mark,
         B          A        F♯
There's so much more to solitary refinement.
```

Chorus 3

```
Am            E7      Am      E7        Am
'Cause I'm a good girl, oh I'm a good girl___
        C        E
I'm a good girl___
```

Coda

```
‖: E   G    D     C♯  F♯m       :‖  Play 8 times
   If you live a lie you'll die a liar.
   E   G    D     C♯  F♯m E  A
   If you live a lie you'll die a liar.
```

33

Road Rage

Words & Music by Cerys Matthews, Mark Roberts,
Aled Richards, Paul Jones & Owen Powell

Tune down a semitone

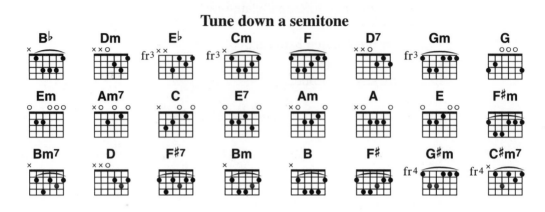

Verse 1

      B♭   **Dm**
If all you've got to do today is find   peace of mind
      E♭   **Cm**   **F**
Come round, you can take a piece of mine.
      B♭   **Dm**
And if all you've got to do today is hesitate,
      E♭   **Cm**   **F**
Come here, you can leave it late with me.

Pre-chorus 1

   D7   **Gm**   **D7**
You could be taking it easy on yourself,
                           Gm   **D7**
You should be making it easy on yourself,

'Cause you and I know.

Chorus 1

   G   **D7**   **Em**
It's all over the front page, you give me road rage,
               Am7
Racing through the best days,
      G   **D7**
It's up to you, boy, you're driving me crazy,
        Em   **Am7**
Thinking you may be losing your mind.

Verse 2

    C   **Em**
If all you've got to prove today is your innocence,
       F   **Dm**   **G**
Calm down, you're as guilty as can be.
    C   **Em**
If all you've got to lose alludes to yesterday,
       F   **Dm**   **G**
Yesterday's through, now do anything you please.

Pre-chorus 2

  E7   **Am**   **E7**
You could be taking it easy on yourself,
                 Am   **E7**
You should be making it easy on yourself

'Cause you and I know,

Chorus 2

  A   **E**   **F♯m**
It's all over the front page, you give me road rage,
       Bm7
Racing through the best days,
     A   **E**
It's up to you, boy, you're driving me crazy,
    F♯m   **Bm7**
Thinking you may be losing your mind.
      E
You're losing your mind.

Bridge

  A   **Bm7**   **E**
You, you've been racing through the best days
  A   **Bm7**   **E**
You, you've been racing through the best days.
  A
Space age, road rage, fast lane.

Verse 3

        D   **F♯m**
And if all you've got to do today is find peace of mind
      G   **Em**   **A**
Come here, you can take a piece of mine.

Pre-chorus 3

  F♯7   **Bm**   **F♯7**
You could be taking it easy on yourself,
                Bm   **F♯7**
You should be making it easy on yourself,

'Cause you and I know,

Chorus 3

    B   **F♯**   **G♯m**
It's all over the front page, you give me road rage,

           C♯m7
Racing through the best days,

      B   **F♯m**
It's up to you, boy, you're driving me crazy,

          G♯m   **C♯m7**
Thinking you may be losing your mind.

But you and I know,

Chorus 4

    B   **F♯**   **G♯m**
We all live in the space age, coming down with road rage,

           C♯m7
Racing through the best days

      B   **F♯**
It's up to you, boy, you're driving me crazy,

          G♯m   **C♯m7**
Thinking you may be losing your mind.

Coda

   B   **F♯**   **G♯m**   **C♯m7**
(It's not over, it's not over, it's not over)
   B   **F♯**   **G♯m**   **C♯m7**
(It's not over, it's not over, it's not over) you and I know

   B   **F♯**   **G♯m**
We all live in the space age, you give me road rage,

          C♯m7
Racing to the best days

      B   **F♯**
It's up to you boy, you're driving me crazy,

          G♯m   **C♯m7**
Thinking you may be losing your mind.

         B   **F♯**
‖: Losing your mind, you're losing your mind,

     G♯m   **C♯m7**
Losing your mind, you're losing your mind. :‖ *Repeat to fade*

Shoot The Messenger

Words & Music by Cerys Matthews, Mark Roberts,
Aled Richards, Paul Jones & Owen Powell

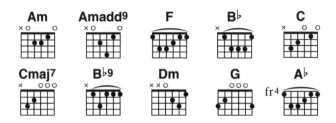

Intro

| Am | Am | Am | Am |

| Am | Am | Amadd9 | Amadd9 |

| F | F | B♭ | B♭ |

| C | C | Cmaj7 | Cmaj7 ‖

Verse 1

    Am   Amadd9   Am   Amadd9
Somebody told me you'd found new bonhomie

      F   B♭9
Going places you'd never go with me.

Dm
I felt myself become a bitter old shrew

            C   G
Oh, I'd have bitten you in two if you would let me.

Verse 2

Am   F
I'd look deadly as a nun,

         B♭9
Martyrdom does not become me,

       C
I'll find love in vanity.

Amadd9   F
Somebody told me you'd found places to go,

  B♭9
New people to know, new ladies and so

Pre-chorus 1

Dm   A♭
I felt myself become a bitter old shrew,

     C   B♭9
I'd have bitten her in two if you would let me.

Chorus 1

Dm   A♭
If I don't laugh what do I do?

         C
If I don't laugh and see this through

      G
I shouldn't even think of you.

Verse 3

Am   F
Allow me one extravagance

Before they come and ban me
B♭9   C
And let me shoot the messenger.

Solo

| Am | Am | F | F | |
| B♭9 | B♭9 | C | C | ‖

38

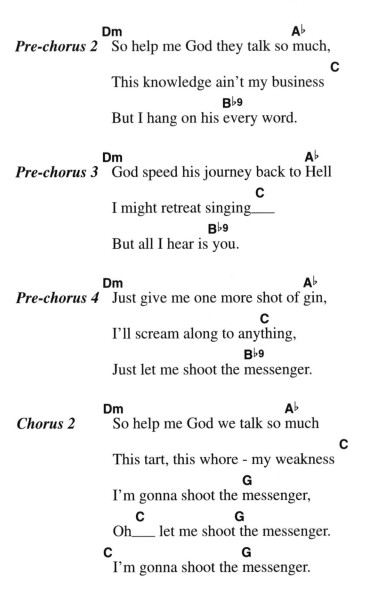

Pre-chorus 2   So help me God they talk so much,
                 This knowledge ain't my business
                 But I hang on his every word.

Pre-chorus 3   God speed his journey back to Hell
                 I might retreat singing___
                 But all I hear is you.

Pre-chorus 4   Just give me one more shot of gin,
                 I'll scream along to anything,
                 Just let me shoot the messenger.

Chorus 2   So help me God we talk so much
              This tart, this whore - my weakness
             I'm gonna shoot the messenger,
             Oh___ let me shoot the messenger.
             I'm gonna shoot the messenger.

Sweet Catatonia

Words & Music by Cerys Matthews & Mark Roberts

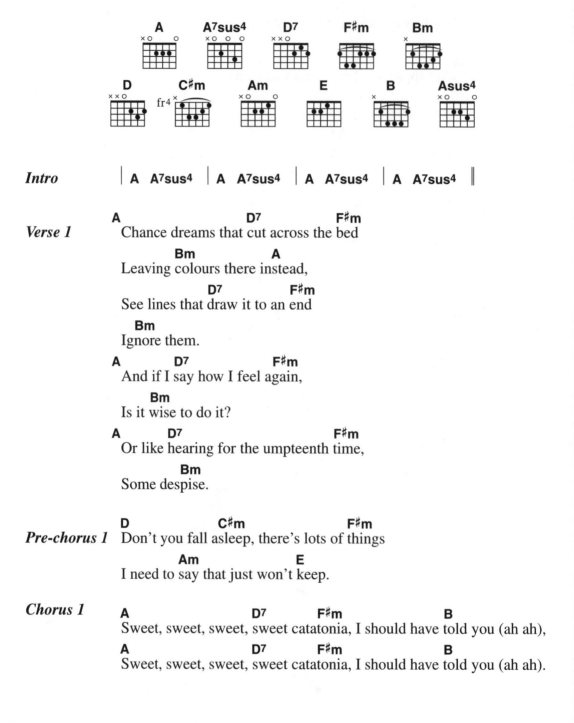

Intro | A A7sus4 | A A7sus4 | A A7sus4 | A A7sus4 ‖

Verse 1

A   D7   F#m
Chance dreams that cut across the bed

          Bm   A
Leaving colours there instead,

                   D7   F#m
See lines that draw it to an end

        Bm
Ignore them.

A   D7   F#m
And if I say how I feel again,

          Bm
Is it wise to do it?

A   D7   F#m
Or like hearing for the umpteenth time,

            Bm
Some despise.

Pre-chorus 1

D   C#m   F#m
Don't you fall asleep, there's lots of things

           Am   E
I need to say that just won't keep.

Chorus 1

A   D7   F#m   B
Sweet, sweet, sweet, sweet catatonia, I should have told you (ah ah),

A   D7   F#m   B
Sweet, sweet, sweet, sweet catatonia, I should have told you (ah ah).

Verse 2

```
          A         D7                      F#m
And with my fears in the back of my mind,
                    Bm
Will they gang up on me?
          A         D7            F#m
And when I least expect them to
                    Bm
Will they devour me?
```

Pre-chorus 2

```
       D                 C#m            F#m                Am
Don't you turn aside, your tired ears must hear me out
                              E
There's nowhere to hide.
```

Chorus 2

```
          A                    D7        F#m              B
Sweet, sweet, sweet, sweet catatonia, I should have told you (ah ah),
          A                    D7        F#m              B
Sweet, sweet, sweet, sweet catatonia, I should have told you (ah ah).
```

Pre-chorus 3

```
       D                 C#m            F#m                Am
Don't you turn aside, your tired ears must hear me out
                              E
There's nowhere to hide.
```

Chorus 3

```
          A                    D7        F#m              B
Sweet, sweet, sweet, sweet catatonia, I should have told you (ah ah),
          A                    D7        F#m              B
Sweet, sweet, sweet, sweet catatonia, I should have told you (ah ah).
          A                    D7               F#m
Sweet, sweet, sweet, sweet            catatonia,
          (And with my fears in the back of my mind,)
                    B
I should have told you (ah ah),
          (will they gang up on me?)
          A                    D7        F#m
Sweet, sweet, sweet, sweet catatonia,
          (And when I   least expect them to)
                    B
I should have told you (ah ah)
(they'll        devour me)
```

Solo

```
| A   D7 | F#m B | A   D7 | F#m B | A Asus4 A Asus4 | A    ‖
```

Valerian

Words & Music by Cerys Matthews, Mark Roberts,
Aled Richards, Paul Jones & Owen Powell

D   **Asus⁴**   **A**   **G**   **F**   **Bm**   **E**   **Gmaj⁷**

Intro | D | D | D · | D ||

Verse 1
    D
    Never meant you no harm,
                    Asus⁴ A
    Never meant you no harm,   yeh.___
    D
    Never spun you no yarns,
                    Asus⁴ A
    Never spun you no yarn,   yeh.___
G   **A**   **G**   **A**
    And she'll go, yeh, where he goes, yeh,
F   **A**   **D**
    We all go where nobody knows our name.

Verse 2
    D
    If I step out of line
D   **Asus⁴ A**
    I'll step out of line,   yeh.___
D
    Over land over sea
                  Asus⁴ A
    One step two to Ynys free,   yeh.___
G   **A**   **G**   **A**
    And she'll go, yeh, where he goes, yeh,
F   **A**   **Bm**
    We all go where nobody knows our name.

Chorus

                                          E
And don't cry if crying means you're sorry,

       G   **Bm**
Whatever the case I always felt out of place,

       G   **Bm**   **A**
As a matter of fact I always felt like that around you.

    Gmaj7   **D**
I'm disinclined to toe the line

    Gmaj7   **D**   **A**
Under your thumb where I've become unwanted.

           D
Verse 3   So pick your way down to the sea,

                   Asus4 A
Pick your way to the sea,   yeh.

    D
It's not the tide you gotta watch, it's me,

                   Asus4 A
Not the tide you got it's me,   yeh.___

Gmaj7   **A**   **Gmaj7**   **A**
And she'll go, yeh, where he'll go, yeh,

F   **A**   **Gmaj7**
We all go where nobody knows our name

          A   **Gmaj7**   **A**
And she'll go, yeh, where he'll go, yeh,

F   **A**   **D**
We all go where nobody knows our name,

               D
Coda   Where nobody knows our name. *repeat 4 times*

Instr   ‖: **D** | **D** | **D** | **D**   :‖ **D** |

    D
Where nobody knows our name,

Where nobody knows.

You've Got A Lot To Answer For

Words & Music by Cerys Matthews & Mark Roberts

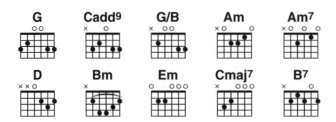

Intro | G | G   ‖

Chorus 1

 G   Cadd⁹ G/B Am   G
You've got a lot to   answer for but baby I love you.

                     Cadd⁹ G/B Am   G
You've got a lot to   answer for but baby I love you.

Verse 1

 Am⁷   D   Am⁷
If it turns to blue, what are we gonna do?

                     D   Am⁷
If it stays on white, will it be alright?

                     D
If it all turns sour, it's too late,

         G   Bm   Am   Am⁷
The CSA are bound to find you soon.

Verse 2

$$D$$
If you wanna talk, then talk about it,

Am7   **D**
You could talk all night if you needed,

Am7   **D**
You could talk all night and day

      G   **Bm**
But I'd think by now you know exactly

      Am   **Em**
How to end up here.

            Am7
Are you looking for the sun?

            Cmaj7
Are you looking out for me?

Chorus 2

G   **Cadd9 G/B**   **Am**   **G**
You've got a lot to answer for, but baby I love you.

         Cadd9 G/B   **Am**   **G**
You've got a lot to answer for, but baby I love you.

Verse 3

Am7   **D**
You said I got the looks

          Am7
Well, I got the means,

         D   **Am7**
Let's get together, mix each other's genes,

         D
Can't buy myself a future.

    G   **Bm**   **Am**   **Em**
My DNA will be past its sell-by date,

          Am7
Are you looking for a son?

          Cmaj7
Are you holding out for me?

Chorus 3   *As Chorus 1*

Link | G | G | G | G | G | G   ‖

Solo   ‖: G | B7 | Em | Cmaj7 :‖ Cmaj7   ‖

Chorus 4   *As Chorus 1*

Coda

G   **Cadd9 G/B** **Am7**
You've got a lot to answer for.

45

Strange Glue

Words & Music by Cerys Matthews, Mark Roberts,
Aled Richards, Paul Jones & Owen Powell

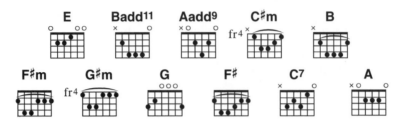

Intro

| E Badd¹¹ | Aadd⁹   C♯m B ‖

Verse 1

         E   Badd¹¹
It was strange glue that held us together

         Aadd⁹   C♯m   B
While we both came apart at the seams:

            E   Badd¹¹
She said, "Your place or mine while we've still got the time"

        Aadd⁹   C♯m   B
So I played along with her schemes.

Pre-chorus 1

        F♯m   Badd¹¹
But I don't have the right to be with you tonight,

        G♯m   C♯m
So please leave me alone with no saviour in sight,

      G   B
I will sleep safe and sound with nobody around me.

Chorus 1

    E   Badd11
When faced with my demons

Aadd9   F♯ B
I clothe them and feed them

       E   Badd11
And I smile, yes I smile

               Aadd9 F♯ B
As they're taking me over

     C♯m   C7
And if I cannot sleep for the secrets I keep

  Badd11   Aadd9
It's the price I'm willing to meet,

    E   B   Aadd9
The end of the night never comes too quickly for me.

Solo | E B | A   C♯m B | E B | A   C♯m B ‖

Pre-chorus 2
   F♯m   Badd11
But I don't have the right to be with you tonight

      G♯m   C♯m
So please leave me alone with no saviour,

    G   B
I will sleep safe and sound with nobody around me.

Chorus 2

        E   **Badd11**
When faced with my demons

Aadd9   **F♯** **B**
I clothe them and feed them,

       E   **Badd11**
And I'll smile, yes I'll smile

           Aadd9 C♯m B
As they're taking me over.

    C♯m   **C7**
And if I cannot sleep for the secrets I keep

  Badd11   **Aadd9**
It's the prize I'm willing to steal.

     E   **B**   **Aadd9**
Oh the end of the night never comes too quickly for me

And I smile . . .

Coda

     E   **B**   **Aadd9**
The end of the night never comes too quickly for me.

       E   **B**   **Aadd9**
I smile, smile, I smile as they're taking me over,

I smile.

     E   **B**   **Aadd9**
The end of the night never comes too quickly for me,

            E
Never comes too quickly for me.